Stijn

Frank

agent De Groot

de vader van Joost

een grote jongen

Lies

Annemarie Bon

Frank en Stijn lossen het op

met tekeningen van

Els Vermeltfoort

Op de cd staat een korte leesinstructie bij dit boek.
Daarna leest de auteur het eerste hoofdstuk voor.
Kijk op de cd welk nummer bij dit boek hoort.

Achter in het boek zijn leestips opgenomen voor ouders.

STICHTING NEDERLANDSE
KINDERJURY
2006

Boeken met dit vignet zijn op niveaubepaling geregistreerd
en gecontroleerd door KPC Groep te 's-Hertogenbosch.

1e druk 2006

ISBN 90.276.6344.0
NUR 286/282

© 2006 Tekst: Annemarie Bon
Illustraties: Els Vermeltfoort
Leestips: Marion van der Meulen
Vormgeving: Natascha Frensch
Typografie Read Regular: copyright © Natascha Frensch 2001 – 2006
Uitgeverij Zwijsen B.V. Tilburg

Voor België:
Zwijsen-Infoboek, Meerhout
D/2006/1919/179

Inhoud

1. Spionnen

'Wat willen jullie later worden?' vraagt juf Lot
in de klas.
'Wie weet dat al?'
'Ik word **spion**,' zegt Frank.
'Ik ook,' zegt Stijn.
'Zo, zo,' lacht de juf.
'**Spion**, dat is niet mis.
Ik heb een taak.
Ieder kind kiest een beroep.
Daar maak je een **werkstuk** van.
Over een maand moet het klaar zijn.
Begin er maar snel mee.
En maak een mooi plan.'

'Wow,' zegt Frank.
'Wow,' zegt Stijn.
'Zullen wij het samen doen?'
'Ja,' lacht Frank.
'Frank en Stijn lossen het op.
Nu nog een zaak of een geheim.'

Na school gaat Frank met Stijn mee.
Ze zitten op Stijns bed.

'Wat doet een **spion**?' vraagt Stijn.

'Hoe pakt hij dat aan?

Wat doet hij wel en niet?'

'Een **spion vermomt** zich goed,' zegt Frank.

'Hij heeft een hoed op.

Hij draagt een lange jas.

En een bril tegen de zon.

Zo weet je niet wie hij is.'

'Dat lukt ons vast wel,' lacht Stijn.

'Maar wat doen we nog meer?

Wat hebben we nodig?'

Frank pakt zijn schrift en een pen.

Hij maakt een lijst:

- *een mobiel voor Stijn en Frank*
- *een pen*
- *een schrift*
- *touw*
- *een loep*
- *een schaar*

'Dat wist ik niet, zeg!' roept Stijn.

'Maar ik heb nog een plan.

We gaan naar een agent.

Ik wil een gesprek met hem.

Hij is een echte **spion**.

Hij legt ons vast wel uit hoe het moet.'
'Stoer!' roept Frank.
'Ik bel nu op,' zegt Stijn.

Stijn zoekt het nummer op en belt.
'Jammer,' zegt hij eerst.
'Dus u hebt geen tijd?
O, fijn,' lacht Stijn dan.
'Over een tijd wel?
Tot dan, agent De Groot.
Dank u wel.'
Stijn hangt op.
'Ik heb een afspraak voor ons.
Maar nu nog niet.
Pas over twee weken.'
Frank lacht.
'We zijn nu klaar met ons plan.
Ga je mee naar buiten?
Een blokje om op de fiets?'
'Ja, leuk,' zegt Stijn.
'Wie weet zien we dan wel iets!
We gaan op zoek naar een zaak voor een **spion**!'

2. De loopkar van oma

Frank en Stijn staan al bij de deur.
Mama houdt hen tegen.
'Stijn,' zegt ze.
'Er is iets ergs aan de hand.
De **loopkar** van oma is gepikt.
Zonder dat ding kan oma niet goed lopen.
Dus dat is erg naar voor haar.'
'Haar **loopkar**?' vraagt Stijn.
'Wie steelt er nou zo'n ding?
Wat is dat vals.'
'Dat zoeken wij dus uit,' zegt Frank.
'Wij zijn toch **spion**.'
'Goed plan,' zegt Stijn.
'Dit is onze kans.
Kom op.'

Frank en Stijn fietsen snel naar oma.
Ze woont in Huize Ster.
Ze leeft daar met veel oude mensen.
Stijn gaat vaak bij zijn oma op bezoek.
Hij loopt door naar de zaal.
Frank loopt achter hem aan.
Daar zien ze oma al.

Stijn geeft haar een kus.
'Wat rot van je **loopkar**,' zegt Stijn.
'Ja,' zegt oma.
'Hij was heel fijn met remmen en zo.
Zonder kar kom ik niet ver.
En een nieuwe is veel te duur.'
'Wij lossen dit voor jou op,' zegt Stijn.
'Wacht maar af!'

'Wat is er gebeurd?' vraagt Frank.
Hij heeft zin om dit uit te zoeken.
'Om elf uur liep ik naar de markt,' zegt oma.
'Ik kocht daar fruit.
Toen viel er een plensbui.
Mijn kar zat onder de modder.
Daar zou de vloer vies van worden.
Ik liet de kar in de hal staan.
Ik nam het fruit.
En liep naar mijn kamer.
Na een kwartier was mijn kar weg.'
'Hoe laat was dat?' vraagt Stijn.
'Om twaalf uur,' legt oma uit.
'Ik kreeg toen net mijn eten boven.'
'Zo,' zegt Frank.
'Dus het was hier leeg en stil?
Dan kan een dief zijn gang gaan!'

'Oma, je ziet ons straks terug!' lacht Stijn.

Frank en Stijn lopen naar de **portier**.
'Kun je van hieruit in de hal kijken?' vraagt Stijn bij de **balie**.
'Nee, dat lukt niet,' zegt de man.
'Pas na de schuifdeur zie ik wie er is.'
'Was u hier om twaalf uur?' vraagt Frank.
'Nee,' zegt de **portier**.
'Toen zat Kees hier.
Kees veegt nu de vloer.
Hij is daar bij de **berging**.'
'Waar is dat?' vraagt Frank.
'Ga rechts de hoek om.
Daar zie je hem wel.
Het is naast de lift.'
'Ik weet wel waar de lift is,' zegt Stijn.
Hij wil al gaan.

'Nog één vraag,' zegt Frank dan.
'Wie waren er rond twaalf uur hier?'
'Eh,' zegt de **portier**.
'Ans van *Hap hap hap*.
Die brengt hier het eten rond.
In de hal stond Jan al klaar.
Hij is een zwerver.

Soms blijft er een maaltijd over.

Die krijgt Jan dan.

Vandaag was er één maaltijd te veel.

Die was van de heer Broom.'

De man denkt na.

'Kees zat dus bij de **balie**,' gaat hij door.

'Maar dat zei ik al.

Verder was er hier geen mens.

Er is pauze van twaalf uur tot half een.'

'Wie heeft het nou gedaan?' vraagt Stijn.

'De zwerver?

Veel zwervers lopen met een kar.

Daar doen ze hun spullen in.'

'Of de heer Broom,' zegt Frank.

'Want hij was niet op zijn kamer.

Of Ans van *Hap hap hap*.'

'Ja, die,' zegt Stijn.

'Zij kon de kar hup in haar bus zetten.'

'Ik moet en zal weten waar die kar is,' zegt Frank.

'Kom op, we gaan naar Kees.'

En daar gaan ze.

Er staat een man te vegen.

'Ben jij Kees?' vraagt Stijn.

Kees stopt met vegen.

Hij knikt.

'Mag ik je even iets vragen?' zegt Frank.

Stijn gaat verder.

'Jij zat om twaalf uur achter de **balie**.

Mijn oma raakte toen iets kwijt.

Heb jij wat gezien?'

'Het klopt, dat ik daar zat,' zegt Kees.

'Maar ik weet niets van haar **loopkar**.

Je oma loopt wel eens vaker zonder kar.

Dus daar keek ik niet van op.'

De jongens zijn even stil.

Ze kijken elkaar aan.

Ze weten zeker dat Kees liegt.

'Kees,' vraagt Stijn dan.

'Staat die **loopkar** daar in de **berging**?'

'Hoe …?' vraagt Kees.

Hij krijgt een rood hoofd.

'Ja,' zegt hij dan.

'Ik pakte hem voor mijn eigen oma.

Die heeft geen geld voor een kar.

Zonder kar kan ze echt niet lopen.'

'Maar dan stéél je er toch geen?' roept Stijn.

'Ja, ik schaam me nu heel erg,' zegt Kees.

'Ik zag die kar buiten staan.

Toen heb ik hem snel gepakt.

Je laat je kar toch zo niet staan!

Dan heb je hem vast niet nodig.

Ik zette de **loopkar** in de **berging**.

Maar toen drong het pas tot me door.

Ik kreeg spijt.

Ik wilde hem weer in de hal zetten.'

'En toen zag je de modder op de vloer,' zegt Frank.

'Dus ging je maar snel vegen.'

'Ja,' zegt Kees.

'Ik weet het goed gemaakt,' zegt Stijn.

'We doen alsof jij de kar net vond.

Wij helpen jou.

Maar dan moet jij dit doen.

Jij koopt zelf voor je oma een kar.'

'Dat zal ik doen,' zegt Kees.

'Maar ik heb wel een vraag.

Hoe wisten jullie dat ik de dief was?'

'Ha,' lacht Stijn.

'Dat is je eigen schuld.

Jij had het over een **loopkar**.

En dat kon je echt niet weten!

Wij hadden dat jou niet verteld!'

3. Een schat

Frank en Stijn zijn op straat met de bal.
'Het ging goed met die kar,' zegt Stijn.
'Maar één keer **spion** zijn is niet veel,' zegt Frank.
'Nee,' vindt ook Stijn.
'Dat wordt geen goed **werkstuk**.'
Frank trapt tegen de bal.
Stijn stopt de bal met zijn voet.
'Pas op,' zegt Frank.
'Daar komt Pim aan.'
'Nee, hè?'
Stijn kreunt.
'Die pestkop ...'
Stijn maakt zijn zin niet af.
Daar is Pim al.
Hij pakt de bal van Stijn af.
Hij schopt hem de lucht in.
De bal komt op een schuur terecht.
'Ha, ha,' lacht Pim vals.
Dan loopt hij weg.

Stijn klimt snel op de schuur.
Hij grijpt de bal.
Dan hoort hij de stem van een vrouw.

'Hier begraaf ik mijn schat,' zegt ze.

Stijn kijkt niet in de tuin.

Dat durft hij niet.

Na een tijd hoort Stijn niets meer.

Dan pas gluurt hij over de dakrand.

In de tuin ligt een berg zand.

'Net wat ik dacht,' zegt Stijn.

'Ze heeft daar vast iets verstopt.'

'Wat nu?' zegt Frank.

'Dit is een zaak voor ons **werkstuk**.

Wie stopt er nou een schat in de grond?'

'Ik weet het wel,' lacht Stijn.

'Dat doe je als je een dief bent.'

'Kom, **spion**,' zegt Frank.

'Dat zoeken wij uit.'

Frank en Stijn lopen om het huis heen.

De Bie staat er op de deur.

'Woont die vrouw hier alleen?' vraagt Stijn.

'Dat lijkt wel zo,' zegt Frank.

'Maar hoe komt ze aan zo'n groot huis?'

'Ze is een dief,' zegt Stijn.

'Dat moet wel.'

Plots gaat de deur open.

Frank en Stijn schrikken zich wild.

Daar staat de vrouw!

'Ik dacht dat ik iets hoorde,' zegt ze.
'En dat klopt!
Is er iets?'
'Eh,' zegt Frank.
'Hebt u een klus voor ons?
Wij sparen voor een fiets.'
'Een klus?'
De vrouw denkt na.
'Ja!' roept ze dan.
'Ik heb een klus.
Zondag geef ik een groot feest.
Ik moet het zilver nog poetsen.
Dat is een mooie klus.'
'Ik bel snel naar huis,' zegt Stijn.
'Dan vraag ik of het goed is.
En dan weet mijn moeder waar we zijn.'
Stijns moeder vindt het goed.
'Neem hier maar plaats,' wijst de vrouw.
'Dan haal ik de boel wel.'

Snel komt de vrouw terug met een doos.
Daar zit **bestek** in.
'O ja, ik heet Ank de Bie,' zegt ze.
'Kijk, dit is oud zilver.
In al die groefjes is het zwart.
Dat ziet er vies uit.

Wrijf met de doek tot het weer mooi is.
Zie je hoe ik het doe?
Daarna moet het **bestek** in het sop.'
Frank en Stijn knikken.
'Het duurt denk ik een uur,' zegt Ank.
'Is drie euro voor elk goed?
Ik kom straks terug.
Ik ga zelf iets in de tuin doen.'

'Nou,' zegt Stijn.
'Ik vind het heel verdacht.
Jij niet?'
'Ja,' zegt Frank.
'Maar deze klus loont wel!
Jij drie euro en ik drie euro!'
Na een tijd komt Ank er weer aan.
'Dat ziet er goed uit.
Straks heb ik nog een klus in de tuin.
Doen jullie die ook?'
Frank en Stijn knikken van ja.
Wat zou Ank van plan zijn?
Of weet ze dat Frank en Stijn **spion** zijn?
'Ik ben wel blij met jullie,' zegt Ank.
'Ik woon hier ook maar alleen.
Ik had een heel lieve poes.
Maar die schat is net dood.

O, wat mis ik haar.
Ze heeft haar graf in de tuin.
De berg zand moet nog weg.'
Frank en Stijn kijken elkaar aan.
Wat hebben ze een kleur!
Er ligt geen schat in de tuin.
Er ligt een poes in de tuin.

4. Het geheim van juf Lot

De school is net uit.
Frank en Stijn staan op het plein.
'Waar woont juf Lot toch?' vraagt Stijn.
'Ze wil het nooit zeggen.
Ik vind het maar gek.
Ik wil haar graag een kaart sturen.
En dat kan nu niet.'
Frank lacht.
'Dan gaan we haar volgen.
Het is voor het goede doel.
En voor ons **werkstuk**.
Wij zijn **spion**.
Dus dan mag dat.'

Heel stil wachten Frank en Stijn.
Ze zijn bij de stalling.
Want de juf is altijd met de fiets.
Frank en Stijn zijn ook met de fiets.
Die staan al om de hoek klaar.
Wat duurt het lang.
Pas om kwart over vier komt juf Lot.
'Verstop je!' sist Frank.
Juf Lot klikt haar slot open.

Nu pakt ze haar fiets.

Ze zingt.

Daar gaat ze.

Frank en Stijn gaan achter juf Lot aan.

Zó dat de juf het niet merkt.

De juf fietst naar de stad.

Op de markt stapt ze af.

'Woont ze hier?' vraagt Stijn.

'Ik weet het niet,' zegt Frank.

'Kijk, ze gaat naar dat **terras**.'

Juf Lot kijkt goed rond.

Zoekt ze soms iemand?

Dan gaat ze zitten.

Frank en Stijn kijken toe.

Af en toe lopen ze wat.

Opeens stoot Frank Stijn aan.

'Kijk daar!

Dat is de vader van Joost.

Hij gaat ook naar het **terras**.'

'Wat doet die daar nou?' vraagt Stijn.

'Moet die niet werken?'

Nee, hè!

Hij loopt recht op juf Lot af.

Hij geeft haar een zoen!

'Bah,' rilt Frank.

Dan doet hij zijn hand voor zijn mond.
Die twee zijn vast verliefd!
En Joost weet er niets van.
Wat een ramp.
'Wat moeten we doen, Stijn?'
Frank en Stijn zijn niet meer blij.
Daar zit juf Lot met de vader van Joost.
Ze lachen en praten.
'Wat vals van die twee,' zegt Frank.
'Het is niet goed wat we doen.
Maar ik wil er toch meer van weten.
Joost is het hier vast mee eens.
Wat vind jij?'
'We gaan ermee door.
En we volgen ze straks,' zegt Stijn.
'Als het mijn pa was …!
En ik wilde haar nog wel een kaart sturen.
Denk maar niet dat ze die nog krijgt!'

De juf en de pa van Joost hebben geen haast.
Dan staan ze op en lopen naar hun fiets.
Met de fiets aan de hand lopen ze door.
Frank en Stijn volgen hen.
Ze gaan de winkel van Topsport in.
'Wij blijven hier,' zegt Stijn.
'We wachten wel op ze.'

'Het wordt wel laat,' zegt Frank.

'Het is al vijf uur.'

Dan ineens rent er iemand de winkel uit.

Er volgt een man met een pet.

'Houd de dief!' roept die.

De dief rent zo hard hij kan.

Maar hij valt over een losse kei.

De man met de pet is er meteen bij.

Pfft, dat was stoer.

'Hé, wat doen jullie hier?'

Frank en Stijn kijken om.

Daar staan de juf en de pa van Joost!

Met een tas vol spullen.

'Staan jullie hier **spion** te spelen?

En dieven te vangen?' lacht juf Lot.

'Eh,' zegt Frank.

'Ja,' zegt Stijn.

'Dat is voor ons **werkstuk**.'

'Jullie hadden ons hier niet mogen zien,' zegt de pa
van Joost.

'Maar ik verklap jullie een geheim.'

Frank en Stijn snappen er niets van.

'Ik help met de sportdag.

Lot is mijn zus,' zegt de pa van Joost.

Hij laat de tas zien.

'Dit zijn de prijzen voor de sportdag.

Mondje dicht, hè!'
Frank krijgt een rode kleur.
En Stijn krijgt een rode kleur.
Die zaak is nu wel opgelost.
'Mag ik wat vragen, juf,' zegt Stijn.
'Waar woont u eigenlijk?'

5. Een pestkop

'Ga je mee naar mijn huis?' vraagt Stijn.
'Lies is jarig.
Ze is nu acht jaar.
Niet dat haar feest zo leuk wordt …
maar er is wel taart.'
'Tuurlijk ga ik mee!' zegt Frank.

Er zijn al een paar gasten.
Alleen Lies is er nog niet.
'Lies liep alleen,' zegt Klaar.
'Wij moesten nog even naar huis.'
'Maar dan had ze er al moeten zijn,' zegt de moeder
van Stijn.
Dan gaat de deur open.
'Lang zal ze leven' klinkt het.
Maar als ze Lies zien, wordt het stil.
Lies huilt.
'Maar Lies toch,' roept mama.
'Wat is er aan de hand?'
'Er was een jongen,' huilt Lies.
'Hij heeft mijn snoep gepakt.
En de pen die ik van de juf kreeg.
En hij deed me pijn.'

'Wie was die jongen?' vraagt mama boos.
'Dan ga ik naar zijn ouders.'
'Dat weet ik niet,' huilt Lies.
'Dat kon ik niet goed zien.
Hij was net zo groot als Stijn.
Hij had een rode pet op met een gek merk.
Het begon met een x.
Dat weet ik zeker.'
'Huil maar niet, Lies!' roept Stijn stoer.
'Vier fijn feest.
Je hebt toch een grote broer?
Frank en ik zijn **spion**.
Wij gaan op zoek naar die jongen.
Een rode pet, zei je?
Met een merk dat met een x begint?'

Even later zijn Frank en Stijn op weg.
Ze fietsen de weg van huis naar school.
Ze moeten de dief vinden.
'Hij is net zo groot als ik,' zegt Stijn.
'En hij was te voet,' vult Frank aan.
'Dus hij moet wel in onze wijk wonen.
De vraag is: wie is het?'
'Ik denk dat hij van De Klimop-school is.
Want Lies kende hem niet,' zegt Stijn.

De twee gaan de hele wijk door.

Ze zien niks vreemds.

'We wachten op het plein,' zegt Frank.

'Daar heb je goed zicht op het trapveld.

Best kans dat hij daar naartoe gaat.'

Na een tijd zegt Stijn:

'Saai is het wel.

En een goede **spion** zijn we ook niet.

Met de **loopkar** van oma ging het goed.

Maar bij de juf en bij Ank hadden we het fout.'

'Daarom gaat het nú lukken,' zegt Frank.

'Tja, en dat het nu saai is?

Dat hoort erbij.

Zo gaat dat in een film ook.

Daar zitten ze uren op wacht.'

'Ja, ik snap je,' lacht Stijn.

'Die hebben wel snoep en drank.

Ik ben zo slim geweest wat mee te nemen.

Wat wil je?

Chips of snoep?'

'Geef mij maar chips,' zegt Frank.

'Toch wel leuk, **spion** zijn.'

Ineens zijn Frank en Stijn stil.

Er loopt een jongen naar het trapveldje.

Hij heeft een rode pet op.

'We zeggen nog niks,' zegt Stijn.

'We gaan eerst maar eens kijken.'

De jongen kan heel goed de dader zijn.

Maar er is iets geks.

Het merk op de pet is MATTOX.

Dat begint dus niet met een x.

Dat eindigt met een x.

'Doen jullie mee?' vraagt de jongen.

'Ik ben Mees.

We gaan om de beurt in het doel.'

Stijn voelt zich wel raar.

Mees moet die pestkop wel zijn.

Maar Lies was zo zeker van die x vooraan.

'Waar woon jij?' vraagt hij dan.

'Ben jij **nieuw** in de buurt?

Ik dacht dat ik alle jongens kende.'

'Ik woon in dat huis,' zegt Mees.

'Kom maar een keer langs.'

'Ik dacht het niet,' zegt Stijn boos.

'Jij hebt mijn zus pijn gedaan.

En haar snoep en een pen gepikt.'

'Nee, hoor!' roept Mees.

'Ik weet van niks.

Maar als je zo doet, hoepel dan maar op.'

Mees komt op Stijn af.

Hij ziet er vals uit.

'Ik houd niet van vechten,' zegt Stijn.
Frank en Stijn rennen naar hun fiets.
Ze fietsen snel weg.
'Iets klopt er niet,' hijgt Stijn.
'Ik moet Lies nog even spreken.'

Het feest is voorbij.
Stijn gaat naar Lies.
'Zeg nog eens hoe het ging.'
'Het was voor de bakker,' zegt Lies.
'Hij greep me op mijn rug vast.
Hij pakte mijn snoep en mijn pen.'
'Hij pakte je op je rug?' vraagt Frank.
'Hoe heb je dan zijn rode pet gezien?'
'Ik zag dat in het raam van de bakker.
Dat is net een spiegel,' zegt Lies.
'Die jongen is net iets groter dan ik.
Ik zag alleen zijn pet met dat merk.'
'Dat met een x begint?' lacht Stijn.
'Maar je zag dat merk in de spiegel!
En wat gebeurt er dan met een woord?'
'Slim, Stijn!' roept Frank.
'Je bent een super**spion**.
Mees is de dader!'

6. Goed werk!

Het heeft lang geduurd.
Maar nu is het zo ver.
Frank en Stijn zijn bij agent De Groot.
'Zo,' zegt De Groot.
'Dus jij bent Stijn?
En jij bent Frank?
Wat kan ik voor jullie doen?'
'Wij zijn **spion**,' zegt Stijn.
'We maken een **werkstuk**.
Er is al veel gebeurd.'
Stijn vertelt over de **loopkar** van oma.
Over de schat in de tuin.
Over de juf en de pa van Joost.
En over Mees met de pet.
Dan gaat Frank door.
'Maar hoe gaat het in het echt?
Wat moet je doen als je **spion** bent?
En wat heb je dan nodig?
Weet u dat?'
De Groot lacht.
'Ja, dat weet ik wel.
Er is maar één ding echt nodig.'
'Wat is dat dan?' vraagt Frank.

'Denk eens goed na,' zegt De Groot.
'Hoe losten jullie de zaak met de kar op?
En het raadsel van de pet?'
Frank denkt en Stijn denkt.
Agent De Groot lacht.
'Er is maar één ding echt nodig.
En dat zijn je hersens.
Denk steeds goed na.
Dan los je alles op.'
De Groot pakt iets uit een la.
'Maar jullie hebben het goed gedaan.
Daarom is hier een **speld**.
Een **speld** voor een echte **spion**.
Steek die op je jas.
Dan weet elke dief het.
Frank en Stijn zijn **spion**.
Die houd je niet voor de gek.
Die zijn veel te slim!'
Frank straalt en Stijn straalt.
Wat zijn ze trots.
Ze doen de **speld** meteen op.
'O, ja,' zegt De Groot.
'En dat **werkstuk** ... dat lukt wel.
Van mij krijg je een tien!'

Leestips

Algemeen

Leesplezier is het allerbelangrijkste!

Kinderen bij wie het leren lezen niet zonder problemen is verlopen,
vinden lezen moeilijk en niet leuk. De boekenserie *Zoeklicht Dyslexie* wil
de drempel om te gaan lezen verlagen en kinderen laten ervaren dat het
lezen van een verhaal plezier geeft.

U kunt als ouder een belangrijke rol spelen in het laten ervaren van
leesplezier. Daarom hebben we hieronder wat eenvoudige tips bij
elkaar gezet.

De gulden regel is om het plezier in het lezen voorop te stellen.
Dwing uw kind nooit tot lezen. Kies voor het kind geen boeken waarvan
u niet zeker weet dat uw kind het onderwerp leuk vindt. En kies liever
een boek met een (te) laag AVI-niveau dan een boek met een (te) hoog
AVI-niveau.

Maak lezen niet tot een straf. Stel het lezen niet in de plaats van iets
wat uw kind graag doet, bijvoorbeeld computeren of televisie kijken.
Lees elke dag een kwartiertje op een tijdstip dat uw kind het wil. Geef
het bijvoorbeeld de keuze: of om acht uur naar bed of nog een kwartiertje
opblijven om samen te lezen. Zo wordt lezen extra leuk.

Een keer geen zin in lezen? Lees dan voor. Hiermee zorgt u ervoor dat uw
kind kan blijven genieten van boeken en verhalen, zonder dat het hiervoor
een (te) grote inspanning moet leveren. Heeft u een poosje geen tijd om
voor te lezen? Leen dan eens een luisterboek bij de bibliotheek.

Frank en Stijn lossen het op

Maak uw kind nieuwsgierig. Om uw kind nieuwsgierig te
maken naar dit boek, kunt u het alvast samen bekijken, zonder
het te gaan lezen. Bekijk de titel: *Frank en Stijn lossen het op* en
de voorkant van het boek. Waar zou het verhaal over kunnen gaan?
Ook via de luister-cd kunt u uw kind nieuwsgierig maken naar de inhoud
van het boek. Tijdens het fragment op de cd hoort uw kind dat Frank en
Stijn op school een werkstuk gaan maken over spionnen. Samen gaan ze

op zoek naar spannende dingen die opgelost moeten worden. Stel uw kind nu bijvoorbeeld de vraag: Zouden Frank en Stijn ook spannende zaken ontdekken? Een leuke uitdaging om zelf te gaan lezen.

Ook tijdens het lezen kunt u uw kind nieuwsgierig houden. Bijvoorbeeld door op het eind van elk hoofdstuk even samen te fantaseren over hoe het verhaal verder zou kunnen gaan.

Lastige woorden op de flappen. In elk boek komen woorden voor die lastig te lezen zijn. In dit boek komt onder andere het woord *spion* voor. *Spion* is een lastig woord. De letters *i* en *o* komen in onze taal bijna nooit samen voor. Je spreekt dit woord uit als *spie-jon*.

De lastigste woorden uit het boek hebben we op een flap bij elkaar gezet. Thuis kunt u deze woorden samen bekijken: u als ouder leest de woorden een keer voor. Uw kind kijkt mee en kan de woorden als een echo nazeggen. Straks bij het lezen van het verhaal legt u de flappen open en zijn deze woorden niet zo moeilijk meer om te lezen.

De woorden op de flappen worden ook op de cd voorgelezen.

Samen lezen. Om de vaart in het verhaal te houden, kunt u met uw kind afspreken dat jullie dit boek om beurten lezen: uw kind een bladzijde en u een bladzijde. Hierdoor kan uw kind zich af en toe concentreren op de inhoud van het verhaal, zonder dat het zich moet inspannen om de tekst te ontcijferen. Ook wanneer uw kind lastige woorden tegenkomt, kunt u uw kind helpen door af en toe een moeilijk woord voor te zeggen. Komt dit woord later weer voor, dan is uw kind aan de beurt.

Prijs uw kind. Prijs uw kind uitbundig, als het dit boek helemaal heeft uitgelezen. Het heeft een hele prestatie geleverd en dat mag benadrukt worden. Vertel uw kind bijvoorbeeld dat er in dit boek zes hoofdstukken staan. Deze zes hoofdstukken heeft uw kind, samen met u, allemaal gelezen. Voor in het boek staan de titels van alle hoofdstukken. Door de titels samen nog een keer te lezen, kunt u nog even napraten over wat er in het boek allemaal gebeurd is.

Naam: *Annemarie Bon*
Ik woon met: *mijn zoon Daan.*
Dit doe ik het liefst: *de laatste zin van een boek schrijven.*
Dit eet ik het liefst: *wat ik nog nooit gegeten heb.*
Het leukste boek vind ik: *'Iep' van Joke van Leeuwen.*
Mijn grootste wens is: *dat mensen meer respect voor de natuur en het milieu hebben.*

Naam: *Els Vermeltfoort*
Ik woon met: *Leendert, Carmen, Emma, Sophie, Roman en hondje Pip*
Dit doe ik het liefst: *tekenen, zingen en lachen.*
Het leukste boek vind ik: *'Keesje Kruimel' van Hans Dijkhuis.*
Mijn grootste wens is: *Dat er een put uitgevonden wordt die alle mooie wensen uit laat komen en daarnaast een enorme put waarin alle ellende van de wereld past.*